LEVEL3

2

333 영어

도서 구성

333 영어는 3개 레벨, 90일의 커리큘럼으로 구성되어 있습니다.
밝고 통통 튀는 조정현 선생님의 강의와 함께 학습을 진행하시면 됩니다.

Level 1

단어를 외우는 것만으로 자연스럽게 말하기는 어렵습니다. 외운 단어들이 어떤 상황에서 어떤 뉘앙스로 사용되는지를 정확히 알아야 비로소 말이 술술 나오게 됩니다. Level 1에서는 내가 아는 단어로 쉽게 말할 수 있는 문장들로 구성하여, 실생활에서 바로 사용할 수 있는 영어 회화 능력을 키울 수 있습니다.

Level 2

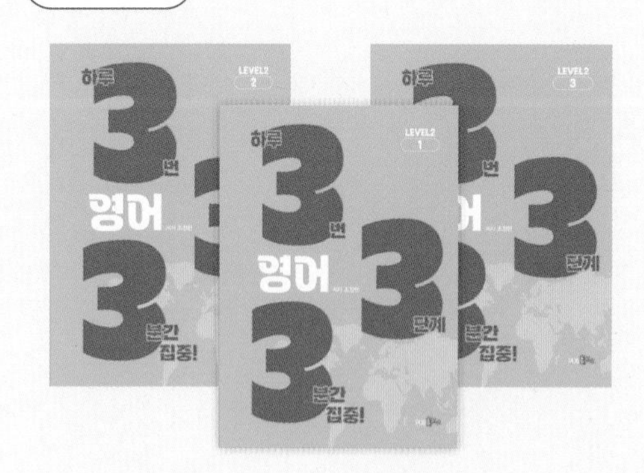

다 아는 단어인데 뜻이 전혀 다른 관용적 표현들이 있습니다. 이런 표현들만 잘 사용해도, 수준 높은 영어 회화가 가능합니다. Level 2는 다양한 관용적 표현을 활용해 쉽게 영어 수준을 높일 수 있는 문장들로 구성되어 있습니다.

Level 3

Level 3에서 소개하는 문장 30개만 잘 사용해도 영어 회화는 문제없습니다. 문장을 통째로 외우기는 쉽지 않지만, 외워야 할 때는 외워야 하죠. 효율적으로 외우면 부담도 훨씬 덜할 텐데요. Level 3는 사용 빈도가 높은 가성비 좋은 문장들을 선정하여, 영어 회화를 충분히 구사할 수 있도록 구성되어 있습니다.

목차

학습 방법

하루 3번, 각각의 다른 3가지 단계로 학습할 수 있도록 구성되어 있습니다.

아침

01 뺀질거리지 좀 마.

1

월 일 요일

함께 진행하는 일이 있는데, 어떤 사람은 가끔 뺀질거리는 경우가 있죠.
이리 뺀질 저리 뺀질··· 어느 정도는 눈감아 줄까 하다가도, 하다가도 정도를 지나치면 "뺀질거리지 좀 마."
하고 따끔하게 조언해 줘야 하는 순간도 있습니다.
영어로는 어떻게 말할까요?

2 오늘의 문장을 어떻게 말할지, 나만의 영어로 먼저 적어보세요.

If it were me, I would say :

3 다음 두 사람의 대화를 듣고, 어떤 상황인지 문제를 풀며 추측해 보세요.

대화

A Hey, Mark, can you focus for a moment?
This is not a game. Stop goofing around.

B Oh, sorry. Actually, I've never seen this software. It's pretty fun.

A You know what? We can't afford to waste time goofing around.

B I know. I know. We have a deadline to meet.

A Tell me about it.

B We need to get it done by this week.

A You're telling me. We need everyone's full attention.
Let's get to work right away.

4

01. A의 감정 상태는 어떤 것 같나요?

① patient
② annoyed
③ alarmed

02. 대화를 통해 알 수 없는 내용을 고르세요.

① A와 B는 함께 진행하는 일이 있다.
② A는 소프트웨어를 잘 안다.
③ A와 B는 이번 주까지 일을 끝내야 한다.

03. A가 말한 You're telling me. 대신에 쓸 수 없는 말을 고르세요.

① Tell me about it.
② You can say that.
③ Tell me another.

1 오늘의 상황을 그림으로 이해하고, 오늘의 표현을 우리말로 먼저 확인합니다.

2 나라면 이 상황에서 어떻게 영어로 말할 수 있을지, 내가 아는 영어로 나만의 문장을 적어 봅니다.

3 오늘의 대화를 통해 오늘 배울 표현이 어떻게 쓰였는지 대화 속 영어 문장을 통해 확인합니다.
QR코드를 통해 원어민의 음성을 듣고, 발음과 억양도 꼭 확인하세요.

4 대화 속 상황을 잘 이해하였는지, 문제를 풀어보면서 확인합니다.

점심

5 오늘의 필수 어휘 및 표현을 확인해 보세요.

debate : 논의 / 논의하다, 곰곰이 생각하다
under the weather : 몸이 좀 안 좋은
sort of : 어느 정도
awkward situation: 난처한 상황, 곤란한 입장
suit : 정장 / 맞다, 어울리다

6 필수 어휘와 표현을 이용하여, 우리말에 맞게 영어 문장을 완성해 보세요.

01. I'm .
난 아직 고민중이야.

02. Are you the ?
컨디션 안좋아?

03. I'm in an with him.
난 그와 좀 어색한 상황이야.

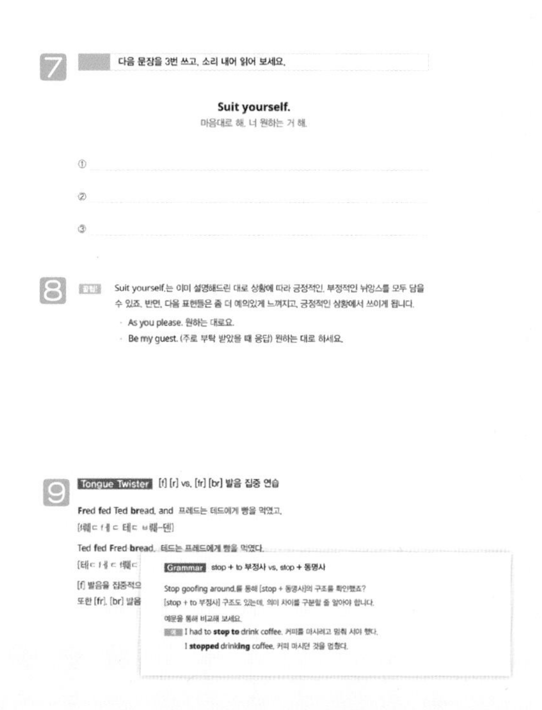

저녁

7 다음 문장을 3번 쓰고, 소리 내어 읽어 보세요.

Suit yourself.
마음대로 해, 너 원하는 거 해.

①
②
③

8 Suit yourself.는 이미 설명해드린 대로 상황에 따라 긍정적인, 부정적인 뉘앙스를 모두 담을 수 있죠. 반면, 다음 표현들은 좀 더 예의있게 느껴지고, 긍정적인 상황에서 쓰이게 됩니다.

- As you please. 원하는 대로요.
- Be my guest. (주로 부탁 받았을 때 응답) 원하는 대로 하세요.

9 Tongue Twister [f] [r] vs. [fr] [br] 발음 집중 연습

Fred fed Ted **bread**, and 프레드는 테드에게 빵을 먹였고,
[f레ㄷ f세ㄷ 테ㄷ ㅂ뤠-덴]
Ted fed **Fred bread**. 테드는 프레드에게 빵을 먹였다.
[테ㄷ f세ㄷ f뤠ㄷ
[f] 발음을 집중적으
또한 [fr], [br] 발음

Grammar stop + to 부정사 vs. stop + 동명사

Stop goofing around.를 통해 [stop + 동명사]의 구조를 확인했죠?
[stop + to 부정사] 구조도 있는데, 의미 차이를 구분할 줄 알아야 합니다.
예문을 통해 비교해 보세요.
I had to **stop to** drink coffee. 커피를 마시려고 멈춰 서야 했다.
I **stopped** drink**ing** coffee. 커피 마시던 것을 멈췄다.

5 대화에서 등장한 필수 어휘와 표현을 확인해 보세요. 문장에서 쓰인 표현을 우리말로 확인해봅니다.

6 필수 어휘와 표현을 잘 이해하였는지, 문제를 통해 정확한 사용법을 익힙니다. 수, 시제, 인칭 등의 변화에 주의하면서 문제를 풀어봅니다.

7 오늘의 문장은 꼭 소리내서 읽고, 3번 써보세요. 눈으로, 손으로, 입으로 익히는 시간이 됩니다.

8 알아두면 좋은 꿀팁을 정리하였습니다. 아~ 이런 표현도 있구나! 하고 확인해두면 좋을 것 같아요.

9 차시를 마무리하며, 영어 발음에 도움이 되는 Tongue Twister 혹은 문법을 간단하고 쉽게 이해할 수 있도록 Grammar 등 다양한 코너를 준비하였습니다. 유용한 정보를 확인하며 학습을 마무리해 보세요.

학습 캘린더

학습을 마친후, 학습 결과를 표시해보세요. 복습이 필요한 곳을 잊지 말고 복습을 진행해 주세요.

10 Days Study Calender

년 월 일

· 아침 학습

· 점심 학습

· 저녁 학습

영어 문장 ____________________

우리말 뜻 ____________________

년 월 일

· 아침 학습

· 점심 학습

· 저녁 학습

영어 문장 ____________________

우리말 뜻 ____________________

년 월 일

· 아침 학습

· 점심 학습

· 저녁 학습

영어 문장 ____________________

우리말 뜻 ____________________

년 월 일

· 아침 학습

· 점심 학습

· 저녁 학습

영어 문장 ____________________

우리말 뜻 ____________________

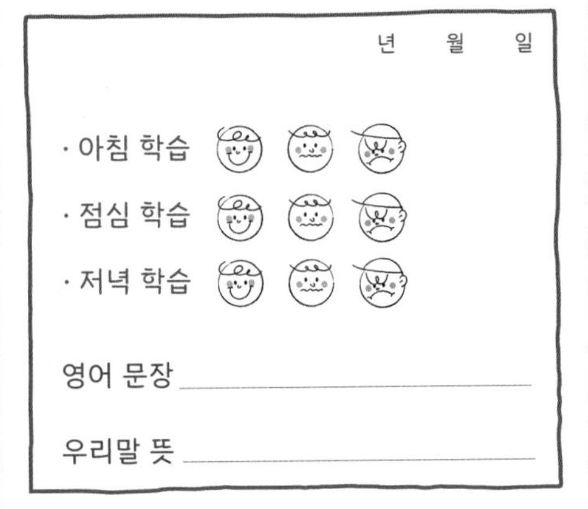

년 월 일

· 아침 학습
· 점심 학습
· 저녁 학습

영어 문장 ____________________

우리말 뜻 ____________________

년 월 일

· 아침 학습
· 점심 학습
· 저녁 학습

영어 문장 ____________________

우리말 뜻 ____________________

년 월 일

· 아침 학습
· 점심 학습
· 저녁 학습

영어 문장 ____________________

우리말 뜻 ____________________

년 월 일

· 아침 학습
· 점심 학습
· 저녁 학습

영어 문장 ____________________

우리말 뜻 ____________________

년 월 일

· 아침 학습
· 점심 학습
· 저녁 학습

영어 문장 ____________________

우리말 뜻 ____________________

 웃는 얼굴 : 확실히 알아요.

 보통 얼굴 : 어느 정도 이해했어요.

 찡그린 얼굴 : 복습이 필요해요.

11 꽃가루 알레르기가 있어.

3·3·3

월 일 요일

저는 봄철과 가을철에 알레르기로 고생을 합니다.
이렇게 환절기 알레르기뿐 아니라, 다양한 이유로 알레르기반응이 나타날 수 있죠.
알레르기가 있다는 말은 영어로 어떻게 표현할까요?

오늘의 문장을 어떻게 말할지, 나만의 영어로 먼저 적어보세요.

If it were me, I would say :

다음 두 사람의 대화를 듣고, 어떤 상황인지 문제를 풀며 추측해 보세요.

대화

A Hey, Jenna, spring is in the air. Do you want to go for a hike this weekend?

B Sounds great, but I don't feel very well these days.

A Oh, are you sick?

B No, but to be honest with you, I'm allergic to pollen.

A Oh, I didn't know that. Then, let's find an indoor activity.

B That'd be great. Maybe we could try out the new café nearby?

A Perfect! I really wanted to go there.

01. B는 무엇에 알레르기가 있나요?

① 땅콩

② 풀잎

③ 꽃가루

02. 대화를 통해 알 수 없는 내용을 고르세요.

① 봄 기운이 완연한 날씨다.

② B는 감기 기운이 있다.

③ A와 B는 주말에 만날 것이다.

03. B가 언급한 카페는 어디 있나요?

① mountain

② countryside

③ neighborhood

오늘의 필수 어휘 및 표현을 확인해 보세요.

- hike : 하이킹, 도보여행
- allergic : 알레르기가 있는
- pollen : 꽃가루
- indoor : 실내의
- try out : 시험 삼아 해보다

필수 어휘와 표현을 이용하여, 우리말에 맞게 영어 문장을 완성해 보세요.

01. Let's ________ for a ________.

하이킹하러 가자.

02. I don't ________ ________ these days.

요즘 컨디션이 안 좋아.

03. Let's find an ________ ________.

실내 활동을 찾아보자.

다음 문장을 3번 쓰고, 소리 내어 읽어 보세요.

I'm allergic to pollen.

꽃가루 알레르기가 있어.

①

②

③

꿀팁! I'm allergic to하면 "~에 알레르기가 있다"는 의미의 표현이었죠.
알레르기가 있다는 다른 표현들을 더 알아볼게요.

- I have an allergy to pollen. 나는 꽃가루 알레르기가 있어.
- Nuts don't agree with me. 나는 견과류가 안 맞아.

Useful Expressions 알레르기를 일으키는 것들

꽃가루 외에 알레르기를 일으킬 수 있는 것들이 꽤 있죠.
그 예들을 영어로 한 번씩 읽어 보세요.

예 dust 먼지 | shellfish 조개류, 갑각류 | peach 복숭아 | gluten 글루텐

12 누구 닮았어?

3·3·3

월 일 요일

가끔 가족 구성원 중에 누굴 닮았는지 생각해 볼 때가 있지 않나요?
어릴 적에는 다른 사람들로부터 "아빠 닮았다" 혹은 "엄마 닮았구나" 같은 말을 많이 들어도 봤고요.
이번 기회에 지금은 누구의 모습이 더 있는지도 관찰해 보면 재밌겠지요?
"누구 닮았냐"는 말은 영어로 어떻게 할지도 생각해 보세요.

오늘의 문장을 어떻게 말할지, 나만의 영어로 먼저 적어보세요.

If it were me, I would say :

다음 두 사람의 대화를 듣고, 어떤 상황인지 문제를 풀며 추측해 보세요.

대화

A Honey, I was just thinking about how much I resemble my parents.

B Hmm. I think you look like your mom.

A Really? That's interesting. I've always heard that I take after my dad more.

B Well.. now that you mention it, you look like both of your parents.

A I agree. Who do you take after? I don't think you look like either of them.

B You can say that. I think I'm adopted.

A Seriously? I think you need to take a gene test.

01. A와 B는 무엇에 대해 대화하고 있나요?

① 부모님

② 요리 솜씨

③ 가족 간 다툼

02. 대화를 통해 알 수 있는 내용을 고르세요.

① A는 어릴 적에 엄마 닮았다는 말을 더 많이 들었다.

② B는 부모님 둘 다 닮았다.

③ A는 B의 말에 놀랐다.

03. A는 B에게 무엇을 제안했나요?

① 부모님께 여쭤보기

② 유전자 검사

③ 무시하기

오늘의 필수 어휘 및 표현을 확인해 보세요.

- resemble : 닮다, 비슷하다
- take after : ~을 닮다
- both : 둘 다
- either : 어느 하나(의)
- adopt : 입양하다, 채택하다

필수 어휘와 표현을 이용하여, 우리말에 맞게 영어 문장을 완성해 보세요.

01. I was just ____________ about how much I ____________ my parents.

난 내가 우리 부모님을 얼만큼 닮았는지를 생각하고 있었어.

02. You look like ____________ of your ____________.

너는 너의 부모님을 반반씩 닮았어.

03. I don't think you ____________ like ____________ of them.

너는 그분들 중 어느 쪽도 안 닮은 것 같아.

다음 문장을 3번 쓰고, 소리 내어 읽어 보세요.

Who do you take after?

누구 닮았어?

①

②

③

꿀팁! 이번 대화 중에 "닮다"에 해당하는 표현으로 resemble, look like, take after을 골고루 확인해 보았어요.

특히 resemble의 경우 with와 함께 쓰지 않도록 주의해야 합니다. resemble 자체에 "~와 닮다"라는 의미가 포함되어 있기 때문이에요.

- I **resemble** my parents. (O)
- I **resemble with** my parents. (X)

Useful Expressions either 둘 중 하나

either에 좀 더 익숙해져 볼까요?

* You can have **either** of them. 둘 중 어느 것이든 가져도 돼.
* **Either** of you can go. 둘(두 사람) 중 어느 편이 가도 돼.
* I won't take **either** of them. 둘 중 어느 것도 안 가져 갈래요.

13 초보 운전

3·3·3

(월 일 요일)

초보 운전 시절을 회상해 보면, 너무너무 긴장돼서 온 몸에 근육통을 겪을 정도였지요.
하지만! 중요한 건 꺾이지 않는 마음이죠. 당당하게 "초보 운전" 스티커를 붙이고, 교통 법규를 잘 지키면서 훈련을 해나가다 보면, 운전이 자연스러워지는 순간이 오죠. 영어도 마찬가지라는 거~
이번엔 "초보 운전"을 영어로 어떻게 표현하는지 알아볼까요?

오늘의 문장을 어떻게 말할지, 나만의 영어로 먼저 적어보세요.

If it were me, I would say :

다음 두 사람의 대화를 듣고, 어떤 상황인지 문제를 풀며 추측해 보세요.

대화

A Hey, Laura, how are you doing?

B I'm still so nervous since I finally got behind the wheel.

A Wow! When did you get your driver's license?

B I got my license two years ago. And it's my first-time driving.
I'm a beginner driver.

A You bring back my memories.
My whole body was stiff because I was nervous.

B I can imagine. I thought about getting out of the car in the middle of the road and grabbing a taxi instead.

A But you didn't. That's the spirit. Don't sweat it. I'm sure you'll improve soon.

01. B는 운전면허증 취득 후 얼마 만에 운전하는 건가요?

① 2년

② 2개월

③ 곧바로

02. 대화를 통해 알 수 있는 내용을 고르세요.

① A도 초보 운전자이다.

② B는 운전하면서 긴장을 많이 했다.

③ B는 중간에 내려서 택시를 타고 왔다.

03. 마지막에 A가 한 말에 대한 B의 대답으로 적절하지 않은 것을 고르세요.

① Thanks for the pep talk.

② I hope so.

③ Not too bad.

오늘의 필수 어휘 및 표현을 확인해 보세요.

- wheel : 바퀴
- driver's license : 운전면허
- stiff : 굳은, 딱딱한
- get out of : ~에서 나오다
- spirit : 정신

필수 어휘와 표현을 이용하여, 우리말에 맞게 영어 문장을 완성해 보세요.

01. I finally got ________ the ________.

드디어 운전을 했어.

02. When did you ________ your ________ ________?

언제 운전면허를 취득했니?

03. That's the ________.

그렇지, 그게 중요한 거야!

다음 문장을 3번 쓰고, 소리 내어 읽어 보세요.

Beginner Driver

초보 운전

①

②

③

꿀팁! I finally got behind the wheel. "드디어 운전을 했다."는 의미의 문장이었죠?
여기서 behind the wheel이라는 표현에 대해 부연 설명을 해드릴게요.
wheel은 "바퀴 및 (차량의) 핸들"을 뜻합니다. 때로는 steering wheel이라고도 하죠.
근데 behind the wheel이니까, 핸들 뒤에 있는 모습이 그려지지 않나요?
그래서 "운전하다"의 의미로도 쓰이는 표현입니다.

Useful Expressions get out of ~에서 나오다

다양한 예문으로 살펴볼까요?

예 **Get out of** my way! 길에서 비켜요!
Let's **get out of** here! 여기서 나가자!

그런데 get out of hand라고 하면 무슨 뜻일까요? 내가 감당할 수 없게 된 상황에서 "손을 떠났다"고들 하잖아요? 영어도 마찬가지입니다.

* It **got out of hand**. 상황이 걷잡을 수 없게 되었어.

14 눈 좀 낮춰.

3·3·3

월 일 요일

기대감이 너무 크면 실망감도 큰 법이죠.
일에 관련되어서도 그렇고, 소개팅에서도 그렇고요.
그럴 때, 친구들은 "눈 좀 낮춰, 기대감을 좀 낮춰"라고 조언을 해줍니다.
영어로 뭐라고 하는지도 알아볼게요.

오늘의 문장을 어떻게 말할지, 나만의 영어로 먼저 적어보세요.

If it were me, I would say :

다음 두 사람의 대화를 듣고, 어떤 상황인지 문제를 풀며 추측해 보세요.

대화

A　Olivia, how was your blind date?

B　It was just... so-so. We met up at the café, and it was like an interview.

A　I feel you. Blind dates always come with a bit of anticipation.

B　Exactly. I guess I had high hopes from the beginning.

A　Just... lower your expectations.

B　That's a good point. Come to think of it, he was a good man.

A　Then, why don't you text him? Come on!

01. A와 B는 무엇에 대해 이야기 나누고 있나요?

① 결혼생활

② 권태기

③ 소개팅

02. 대화를 통해 알 수 있는 내용을 고르세요.

① B는 카페에서 인터뷰를 하고 왔다.

② B가 만난 사람은 좋은 사람이었다.

③ A는 소개팅을 해본 경험이 없다.

03. B의 문제점이 무엇이었나요?

① had high hopes

② got too much stress

③ texted him too much

오늘의 필수 어휘 및 표현을 확인해 보세요.

- blind date : 소개팅
- a bit of : 소량의, 약간의
- anticipation : 예상, 기대
- expectation(s) : 예상, 기대
- point : 의견, 주장

필수 어휘와 표현을 이용하여, 우리말에 맞게 영어 문장을 완성해 보세요.

01. How was your ________ ________?

소개팅 어땠어?

02. Blind dates always come with ________ ________ ________ anticipation.

소개팅에는 항상 약간의 기대감이 따르게 되지.

03. That's a ________ ________.

좋은 지적이야.

다음 문장을 3번 쓰고, 소리 내어 읽어 보세요.

Lower your expectations.

눈 좀 낮춰.

①

②

③

꿀팁! 기대감이나 눈을 좀 낮추라는 말로 대체 표현도 알려드릴게요.

- Lower your anticipation. 기대를 낮춰.
- Lower the bar. 기준을 낮춰.

반대로, "눈이 높다, 기준이 높다"는 말은 직접적으로 어떻게 말할까요?

- I have high standards. 나는 눈이 높아.

Useful Expressions set + 목적어 + up 소개팅을 주선하다

set up의 의미에 주의하며, 다음 문장들을 해석해 보세요.

① My friend **set** us **up**.

.

② My boss **set** me **up** with a friend of his.

.

① 내 친구가 소개팅을 주선했다. / ② 내 상사가 그의 친구 중 한 명과 소개팅을 주선했어요.

15 실감이 안 나.

3·3·3

월 일 요일

현실감이 안 날 때, "실감이 안 난다"라고들 하죠?
실감이 안 날때는 너무 놀라서 순간적으로 상황을 받아들이기 어려울 때나 또는 너무 기쁠때가 있죠.
이렇게 어안이 벙벙할 때 쓰기에 딱 좋은 표현들에 대해 영어로 알아볼까요?

오늘의 문장을 어떻게 말할지, 나만의 영어로 먼저 적어보세요.

If it were me, I would say :

다음 두 사람의 대화를 듣고, 어떤 상황인지 문제를 풀며 추측해 보세요.

대화

A I think I have to pinch myself to make sure I wasn't dreaming.

B What is it? What's going on?

A I just got the highest score on the test.

B Wow, you've earned this. You've put in so much effort.

A Absolutely. It all feels so surreal. Is it for real?

B It's definitely for real.

A Thank you. Your support means the world to me.

01. A와 B는 무엇에 대해 이야기하고 있나요?

① 점수

② 꿈

③ 여행

02. 대화를 통해 알 수 있는 내용을 고르세요.

① B는 A의 볼을 꼬집었다.

② A는 자신의 볼을 꼬집었다.

③ B는 A를 응원했다.

03. 믿기지 않을 때 할 수 있는 말을 고르세요.

① It was a dream.

② Is it for real?

③ You've earned this.

오늘의 필수 어휘 및 표현을 확인해 보세요.

- pinch : 꼬집다 / 꼬집기
- make sure : 확실하게 하다, 확인하다
- score : 득점, 점수
- earn : 벌다, 받다, 얻다
- surreal : 비현실적인, 꿈 같은

필수 어휘와 표현을 이용하여, 우리말에 맞게 영어 문장을 완성해 보세요.

01. I have to ______ myself to ______ ______ I wasn't dreaming.

내가 꿈을 꾼 게 아닌지 확인하기 위해서 꼬집어 봐야겠어.

02. You've ______ this.

네가 이걸 해낸 거지.

03. It all ______ so ______.

모든 게 너무 비현실적으로 느껴져.

다음 문장을 3번 쓰고, 소리 내어 읽어 보세요.

Is it for real?

실감이 안 나.

①

②

③

꿀팁! 실감이 안 난다는 것은 마치 꿈꾸고 있는 것 같다는 뜻이겠죠.

- Am I dreaming? 내가 꿈을 꾸고 있는 건가?

또는 너무 꿈같아서 믿기 힘들다고도 하죠?

- I can't believe it. 믿을 수가 없어.

상황에 따라 다양하게 표현해 보세요.

Tongue Twister [r] vs. [l] 발음 집중 연습

[r]과 [l] 발음에 유의하여 연습해 보세요.

* **R**ed **l**o**rr**y, ye**ll**ow **l**o**rr**y. 빨간 대형 트럭, 노란 대형 트럭.
[뤠드 로뤼 옐로우 로뤼]
Rory's **l**o**rr**y **r**oared. 로리의 대형 트럭은 웅웅거렸다.
[뤄뤼스 로리 뤄얼-ㄷ]
Li**l**y **l**oves to **r**o**ll** he**r** **r**'s. 릴리는 r 발음 굴리는 걸 좋아해요.
[릴리 럽스 ㅌ 뤌 헐 아-ㄹㅅ]

16 넌 대기만성형이야.

3·3·3

월 일 요일

각자마다 꽃을 피우고 열매를 맺는 때가 다 있다고 하죠?
하지만, 그때를 기다리는 기간이 길어지다 보면, 때론 지치고 포기하고 싶을 때도 있죠. 그럴 때, "넌 대기만성형이야."라면서 격려해 줄 때가 있습니다.
실제로도 그런 조언을 통해 격려를 얻고, 결국 이뤄내는 경우들을 보게 됩니다.
이렇게 "대기만성형"이라고 격려하는 말을 영어로 알아볼까요?

오늘의 문장을 어떻게 말할지, 나만의 영어로 먼저 적어보세요.

If it were me, I would say :

다음 두 사람의 대화를 듣고, 어떤 상황인지 문제를 풀며 추측해 보세요.

대화

A What's wrong? You seem a little down.

B Well, most of my friends are starting their careers, what am I to do?

A Are you getting anxious?

B Yeah, it's so hard not to compare myself to others.

A Hey, don't be too hard on yourself. You're a late bloomer.

B I know but I just feel like I'm falling behind. Thanks anyway.

A I believe everyone has their own path. And your time will come soon.

01. B가 불안한 이유는 무엇인가요?

① 다른 친구들과 다퉈서

② 다른 친구들과 비교해서

③ 다른 지역으로 이사하게 돼서

02. 대화를 통해 알 수 없는 내용을 고르세요.

① B의 대부분의 친구들은 직업을 갖게 되었다.

② A는 B에게 격려해 주고 있다.

③ B는 A의 조언에 반감을 가진다.

03. A가 말한 Don't be too hard on yourself.의 뜻을 고르세요.

① 너무 어렵게 생각하지 마.

② 자신을 바보같이 생각하지 마.

③ 자신을 너무 엄격하게 대하지 마.

오늘의 필수 어휘 및 표현을 확인해 보세요.

- career : 직업, 일
- anxious : 불안해하는, 염려하는
- compare : 비교하다
- late bloomer : 만성형의 사람
- fall behind : 늦어지다, 낙오하다

필수 어휘와 표현을 이용하여, 우리말에 맞게 영어 문장을 완성해 보세요.

01. My friends are ________ their ________.

내 친구들은 그들의 일을 하기 시작했어.

02. Are you ________ ________?

점점 불안해하고 있는 거야?

03. I feel like I'm ________ ________.

뒤처지는 기분이 들어.

다음 문장을 3번 쓰고, 소리 내어 읽어 보세요.

You're a late bloomer.

넌 대기만성형이야.

①

②

③

꿀팁! "잘될 거야!"라는 응원의 메시지를 좀 더 알려 드릴게요.

- Everything will be fine. 모든 게 잘될 거야.
- You're gonna be all right[great]. 넌 잘 해낼 거야.
- The world is your oyster. 앞날이 창창하다.

Tongue Twister [θ] vs. [s] 발음 집중 연습

끝 소리 [θ] vs. [s] 발음에 유의하여 아래 문장을 연습해 보세요.

pa**th** [pæθ] vs. pa**ss** [pæs]

길 지나가다, 통과하다

The **path** to success often requires **pass**ing through obstacles.

성공으로 가는 길은 종종 장애물을 통과하는 것을 요구한다.

17 그는 음치야.

3-3-3

(월 일 요일)

노래를 꼭 잘 할 필요는 없죠.
노래를 즐겨 듣고, 즐겨 부를 수 있는 마음의 여유가 있는 게 더 건강한 태도일 겁니다. 그런데 노래를 잘 못하는 사람의 노랫소리를 듣고 우리는 가끔 "음치인가봐, 그는 음치야" 등등 평가를 할 때가 있어요.
친한 사이라면 그의 그런 모습도 포용할 수 있겠죠?
이에 대한 표현들 알려드릴게요.

오늘의 문장을 어떻게 말할지, 나만의 영어로 먼저 적어보세요.

If it were me, I would say :

다음 두 사람의 대화를 듣고, 어떤 상황인지 문제를 풀며 추측해 보세요.

대화

A You look pale, today. Are you OK?

B Can you hear him singing? He's been singing over two hours.

A Seriously? Oh, my... He's tone-deaf, right?

B Tell me about it. He sings off key all the time. It's painful to listen to.

A Maybe we should suggest he take some singing lessons.

B That might be a great idea.

A It's kind of cute. He's trying very hard, though.

01. A의 안색이 어떤가요?

① 화끈거린다.

② 노랗다.

③ 창백하다.

02. 대화를 통해 알 수 없는 내용을 고르세요.

① 노래를 부르는 사람은 노래를 잘 한다.

② 노래를 부르는 사람은 음치이다.

③ A는 노래를 부르는 사람을 귀여워한다.

03. B가 말한 He sings off key all the time.과 비슷한 뜻의 문장을 고르세요.

① He's tone–deaf.

② He has two left feet.

③ He is all thumbs.

오늘의 필수 어휘 및 표현을 확인해 보세요.

- pale : 창백한, 핼쑥한
- tone : 어조, 분위기, 톤, 음색
- off key : 음정이 맞지 않는
- painful : 아픈, 고통스러운
- suggest : 제안하다, 추천하다, 암시하다

필수 어휘와 표현을 이용하여, 우리말에 맞게 영어 문장을 완성해 보세요.

01. You look ____________, today.

너 오늘 안색이 창백해보여.

02. He sings ____________ ____________ all the time.

그는 항상 음정이 안 맞아.

03. We should ____________ he take some singing ____________.

우린 그에게 노래 수업을 좀 받도록 제안해야 해.

다음 문장을 3번 쓰고, 소리 내어 읽어 보세요.

He's tone-deaf.

그는 음치야.

①

②

③

꿀팁! "음치"라는 말을 tone-deaf를 써서 나타낼 수도 있고, 대화 중에 이미 언급했듯이 He sings off key all the time.처럼 off key라는 표현으로도 말할 수 있어요.

그럼, "몸치"는 뭐라고 할까요?
have two left feet로 표현합니다.
마치 왼쪽 발만 두 개 있는 것처럼 춤을 잘 못 춘다는 말이죠.

- I have two left feet. 나는 몸치에요.

Tongue Twister [oʊ] vs. [u] 발음 집중 연습

tone-deaf 관련 텅트위스터 문장도 연습해 볼까요?
특히, 다음 두 단어를 잘 비교해 보세요.

▶ **ton**e [toʊn] vs. **tu**ne [tuːn]
톤, 음색 곡, 선율

Timothy's **tone**-deaf tendencies twisted the **tune** terribly.
티모시의 음치 성향은 곡조를 심각하게 뒤틀었다.

18 콩깍지가 씌었네.

3-3-3

월 일 요일

연인과 사귄 지 오래되었거나 결혼한지 오래된 부부인데도 늘 사이가 알콩달콩한 커플이 있죠.
그럴 때 "콩깍지가 씌었다"는 말이 어울리겠죠?
영어로도 그런 표현이 있을지 함께 알아볼까요?

오늘의 문장을 어떻게 말할지, 나만의 영어로 먼저 적어보세요.

If it were me, I would say :

다음 두 사람의 대화를 듣고, 어떤 상황인지 문제를 풀며 추측해 보세요.

대화

A How long have you been seeing him?

B I think it's been more than 10 years.

A Wow, you don't even argue with him, right?

B Sometimes we argue, but we rarely do.

A What do you like most about him?

B I think he's the funniest person in the world.

A I guess you're in blind love. I hope you guys stay together forever!

01. A와 B는 무엇에 대한 이야기를 하고 있나요?

① 연애

② 갈등

③ 일상

02. 대화를 통해 알 수 없는 내용을 고르세요.

① B는 그와 거의 싸우지 않는다.

② B는 그와 한 번도 싸우지 않았다.

③ B는 그를 재밌어한다.

03. A가 말한 How long have you been seeing him? 대신 올 수 없는 문장을 고르세요.

① How long have you been there?

② How long have you two been going out?

③ How long have you two been together?

오늘의 필수 어휘 및 표현을 확인해 보세요.

- argue with : ~와 말다툼하다
- rarely : 드물게
- funniest : 제일 웃기는, 제일 재미있는
- blind love: 맹목적인 사랑
- stay together : 함께 지내다

필수 어휘와 표현을 이용하여, 우리말에 맞게 영어 문장을 완성해 보세요.

01. You don't even ________ ________ him.

넌 그와 다투는 것 조차도 하지 않잖아.

02. He's the ________ person in the ________.

그는 세상에서 제일 웃긴 사람이야.

03. I hope you guys ________ ________ forever.

너희 둘이 평생을 함께 하길 바라.

다음 문장을 3번 쓰고, 소리 내어 읽어 보세요.

You're in blind love.

콩깍지가 씌었네.

①

②

③

꿀팁! 콩깍지가 씌었다는 우리말도 참 재미있죠.
영어로는 사랑에 눈이 멀었다는 의미로 You're in blind love.라고도 하고,
You're blinded by love.처럼 **수동태** 구조로도 쓸 수 있습니다.

Proverbs 사랑과 관련된 속담

콩깍지가 씌인 것 같은 사랑과 관련된 속담을 알아볼까요?

* Love is blind. 사랑은 눈을 멀게 한다.
* Blind love sees no faults. 맹목적 사랑은 단점이 안 보인다.
* In love, the eyes are blind. 사랑에 눈이 멀었다.

19 아오, 혈압 올라.

3·3·3

월 일 요일

꽤 자주 나오는 말 아닌가요?
운전하면서도 할 수 있는 말이고, 자녀를 훈육하면서도 나올 수 있는 말이고, 연인과 말다툼하면서도 나올 수 있는 말이 아닐까 싶습니다. 여러분은 이 표현을 자주 사용하시나요?
영어로는 이런 상황에서 뭐라고 하면 좋을까요?

오늘의 문장을 어떻게 말할지, 나만의 영어로 먼저 적어보세요.

If it were me, I would say :

다음 두 사람의 대화를 듣고, 어떤 상황인지 문제를 풀며 추측해 보세요.

대화

A Why do you always leave your stuff lying around the house?

B You leave your things lying around everywhere too! It's not just me.

A You know what? I almost tripped over your stuff again.

B I'm sorry, but again, it's not just me. Argh! You're boiling my blood.

A That's not the point. We have to find a middle ground.

B But the problem is, you never listen!

A I need to get some fresh air. Let's just take a break.

01. A와 B의 상황은 어떤가요?

① 장난치는 중

② 화해하는 중

③ 말다툼하는 중

02. 대화를 통해 알 수 있는 내용을 고르세요.

① A는 정리 정돈을 잘한다.

② B는 A의 물건에 걸려 넘어질 뻔했다.

③ A는 물을 끓이는 중이다.

03. A가 말한 We have to find a middle ground. 대신 올 수 있는 문장을 고르세요.

① Let's make up.

② Let's meet halfway.

③ Apologize to me.

오늘의 필수 어휘 및 표현을 확인해 보세요.

- lying around : 아무렇게나 놓여있는
- trip over : 발에 걸려 넘어지다
- stuff : 물건
- boil : 끓다, 끓이다
- middle ground : 타협안, 절충안

필수 어휘와 표현을 이용하여, 우리말에 맞게 영어 문장을 완성해 보세요.

01. You leave your things ________ ________ the house.

당신은 집에 물건들을 아무렇게나 놓고 다니죠.

02. I almost ________ ________ your ________.

난 당신 물건에 걸려 거의 넘어질 뻔했어요.

03. We have to find a ________ ________.

우리 타협점을 찾아야 해요.

다음 문장을 3번 쓰고, 소리 내어 읽어 보세요.

You're boiling my blood.

아오, 혈압 올라.

①

②

③

꿀팁! "혈압 오른다"는 우리말처럼 영어로도 boil one's blood처럼 통하는 게 있죠?

- I'm boiling mad.

이뿐 아니라 유용한 표현들이 더 있어요.

- I'm super mad.
  I'm getting angry.
  I'm furious.

때론 과격한 비속어 표현으로 들릴 때가 종종 있죠.

- I'm so pissed off.

Useful Expressions 화해에 관련된 표현

때론 다투기도 하지만, 무엇보다 중요한 건 잘 화해하는 것이죠.
화해에 관련된 영어 표현들도 알려드릴게요.

* Let's mend fences.
  Shall we make peace?
  Can we find common ground?
  Can we bury the hatchet?

20 신발 끈 풀렸어요.

3·3·3

(월 일 요일)

함께 걷다가 상대방의 신발 끈이 풀렸다는 것을 무심코 보면 어떤가요?
도움을 주기 위해 알려 주고 싶잖아요?
이처럼 "신발 끈 풀렸다"는 말은 영어로 어떻게 말하면 좋을지 함께 알아보겠습니다.

오늘의 문장을 어떻게 말할지, 나만의 영어로 먼저 적어보세요.

If it were me, I would say :

다음 두 사람의 대화를 듣고, 어떤 상황인지 문제를 풀며 추측해 보세요.

대화

A Where are you going?

B I'm just rushing to grab some coffee before my class starts.

A Caffeine does help us concentrate better. I'm coming with you.

B Sure. Do you see the coffee shop over there?

A I know. That place is really hot.

B Right. And I'll have a café latte, and you?

A I'll have an iced americano. Oh, your shoes are untied.

01. A와 B는 어디로 가는 길인가요?

① 강의실

② 커피숍

③ 구두 수선소

02. 대화를 통해 알 수 있는 내용을 고르세요.

① B는 곧 수업에 들어가야 한다.

② B의 직업은 선생님이다.

③ B는 아메리카노를 좋아한다.

03. A가 말한 Your shoes are untied.에 이어서 B가 보일 행동을 고르세요.

① will tie up shoestrings

② will cry

③ will buy new shoes

오늘의 필수 어휘 및 표현을 확인해 보세요.

- rush to : ~로 부리나케 가다
- concentrate : 집중하다, 집중시키다
- caffeine : 카페인
- come with : ~와 함께 가다
- untied : 묶이지 않은, 풀린

필수 어휘와 표현을 이용하여, 우리말에 맞게 영어 문장을 완성해 보세요.

01. I'm __________ __________ grab some coffee.

커피 사려고 달려가고 있어.

02. __________ does help us __________ better.

카페인은 우리가 더 잘 집중하도록 돕지.

03. I'm __________ __________ you.

나도 너 따라 갈래(나도 같이 갈래).

다음 문장을 3번 쓰고, 소리 내어 읽어 보세요.

Your shoes are untied.

신발 끈 풀렸어요.

①

②

③

꿀팁! 이렇게 Your shoes are untied.처럼 Your shoes를 주어로 삼아 신발 끈 풀렸다는 의미를 전달할 수도 있고, 좀 더 직접적으로 Your shoelaces 혹은 Your shoestrings를 주어로 하여 "신발 끈"이라는 말을 전달할 수 있어요.

- Your shoelaces[shoestrings] are untied.

Useful Expressions 커피 주문하기와 관련된 표현

커피를 주문하는 것에 관련된 유용한 표현들을 연습해 보세요.

* Can I have a tall iced americano? 톨 사이즈 아이스 아메리카노 하나 주실 수 있나요?
* Can I get a grande latte with an extra shot, please? 그란데 사이즈 라떼에 샷 추가해 주실 수 있나요?
* Can I have a latte with low-fat milk / whole milk?
  저지방 우유 / 일반 우유로 라떼 하나 주실 수 있나요?
* I'll have a café mocha with no whipped cream. 휘핑크림 빼고 카페 모카 하나 주세요.
* I'd like a Vanilla latte with almond milk. 아몬드 밀크로 바닐라 라떼 하나 부탁드려요.
* Can I have a sleeve for my tea? 차를 위한 슬리브 하나 주실 수 있나요?

쉬어가기

Why are all barbers good at driving?
Because they know all the short cuts.

왜 모든 이발사들은 운전을 잘 할까요?
왜냐하면 그들은 모든 숏컷(지름길)을 아니까요.

정답 / 해설

11 꽃가루 알레르기가 있어.

대화

A : 제나, 봄이 다가왔어. 이번 주말에 하이킹 갈래?

B : 좋긴 한데, 요즘 몸이 별로 안 좋아.

A : 아, 아파?

B : 아니, 사실 꽃가루 알레르기가 있어.

A : 몰랐네. 그럼 실내 활동으로 찾아보자.

B : 좋지. 근처 새로 생긴 카페 가볼까?

A : 완벽해! 나도 가보고 싶었어.

01 I'm allergic to pollen.이라고 했으므로 꽃가루 알레르기가 있다.

02 B는 꽃가루 알레르기 때문에 컨디션이 안 좋다. 감기 기운은 아니다.

03 The new café nearby.라고 했으므로 근처의 카페이다.

정답 p9 01 ③ 02 ② 03 ③

p10 01 go | hike 02 feel well 03 indoor activity

12 누구 닮았어?

대화

A : 여보, 나 부모님을 얼마나 닮았는지 생각하고 있었어.

B : 음, 당신은 장모님을 닮았어.

A : 정말? 흥미롭네. 난 아빠를 더 닮았다는 말을 항상 들었는데.

B : 음, 이제 보니 부모님 반반씩 닮았네.

A : 동의해. 당신은 누구를 닮았어? 부모님을 안 닮은 것 같아.

B : 맞아. 그래서 난 입양됐다고 생각해.

A : 진심이야? 유전자 검사해 봐야겠어.

01 부모님 중 누구를 닮았는지에 대해 대화하고 있다.

02 A는 B에 대해서 I don't think you look like either of them. 부모님 두 분 중 어느 쪽도 닮은 것 같지 않다고 했고, B도 You can say that.이라며 동의했다.

03 I think you need to take a gene test. 유전자 검사를 해보라고 조언했다.

정답 p13 01 ① 02 ③ 03 ②

p14 01 thinking | resemble 02 both | parents 03 look | either

13 초보 운전

대화

A : 로라, 잘 지내지?

B : 드디어 운전을 했더니 아직도 긴장돼.

A : 와! 언제 운전면허 땄어?

B : 2년 전에 땄어. 그런데 처음 운전해 보는 거야. 초보 운전자야.

A : 네 말 들으니 기억나네. 나도 긴장해서 온몸이 굳었었어.

B : 상상돼. 중간에 차에서 내려서 택시 탈까 생각했어.

A : 하지만 안 했잖아. 그게 중요한 거야. 너무 걱정하지 마. 곧 잘하게 될 거야.

01 I got my license two years ago. 이 문장을 통해 운전면허는 2년 전에 취득했고, It's my first-time driving. 오늘 처음 운전한다고 했으니 2년 만에 운전이다.

02 B는 중간에 내려서 택시를 탈까 했지만, A의 마지막 말 But you didn't.를 통해 그러지 않았음을 알 수 있다.

03 I'm sure you'll improve soon. 곧 향상될 거라고 응원해 줬으니 격려에 고마움을 표현하는 ①, 그러면 좋겠다고 표현하는 ②는 대답으로 적절하다. 하지만 ③은 그리 나쁘지 않다는 뜻이다.

정답 p17 01 ① 02 ② 03 ③

p18 01 behind | wheel 02 get | driver's license 03 spirit

14 눈 좀 낮춰.

대화

A : 올리비아, 소개팅 어땠어?

B : 그냥··· 그저 그랬어. 카페에서 만났는데 면접 같았어.

A : 이해해. 소개팅은 항상 약간의 기대가 있지.

B : 맞아. 처음부터 너무 기대했던 것 같아.

A : 기대를 낮춰봐.

B : 맞아. 생각해 보니, 그는 좋은 사람이었어.

A : 그럼, 문자해 봐. 어서!

01 How was your blind date? 소개팅 어땠냐고 묻는 말이다.

02 B가 he was a good man.이라고 곱씹어 보는 말을 했으므로, 소개팅남은 좋은 사람이었다는 걸 알 수 있다.

03 B는 I guess I had high hopes from the beginning.이라고 했으므로, 기대가 처음부터 너무 높았다는 것을 알 수 있다.

정답 p21 01 ③ 02 ② 03 ①

p22 01 blind date 02 a bit of 03 good point

15 실감이 안 나.

대화

A : 꿈이 아닌지 확인하려고 나를 꼬집어 봐야 할 것 같아.

B : 무슨 일인데? 무슨 일 있어?

A : 시험에서 최고 점수를 받았어.

B : 와, 이건 네가 받을 자격이 있어. 정말 열심히 했잖아.

A : 맞아. 와 닿지가 않아. 이게 생시야?

B : 응, 완전 현실이야.

A : 고마워. 네 응원이 큰 힘이 돼.

01 I just got the highest score on the test. 시험에서 가장 높은 점수를 받았다고 했으니 "점수"에 대한 이야기이다.

02 B의 말을 보면 A가 그동안 많은 노력을 했고, 그건 꿈이 아니라 현실로 이뤄낸 거라고 응원의 말을 하고 있다.

03 ② 진짜야?

정답 p25 01 ① 02 ③ 03 ②

p26 01 pinch | make sure 02 earned 03 feels | surreal

16 넌 대기만성형이야.

대화

A : 무슨 일이야? 기분이 좀 다운된 것 같아.

B : 글쎄, 내 친구들 대부분이 일을 시작하고 있어. 나는 어떻게 해야 할까?

A : 불안해지고 있어?

B : 응, 다른 사람들과 비교하지 않기가 너무 어려워.

A : 자신을 너무 몰아붙이지 마. 너는 대기만성형이야.

B : 알아, 그런데 뒤처지는 것 같은 느낌이야. 어쨌든 고마워.

A : 모든 사람은 각자의 길이 있다고 생각해. 너의 때도 곧 올 거야.

01 It's so hard not to compare myself to others. 다른 사람들과 비교하지 않는 게 힘들다고 했다.

02 다른 친구들에 비해 뒤쳐지고 있다는 느낌을 받는 B에게 A가 late bloomer, your time will come soon과 같은 격려를 해주고 있다.

03 스스로를 너무 몰아가지 말라는 말이다.

정답 p29 01 ② 02 ③ 03 ③

p30 01 starting | careers 02 getting anxious 03 falling behind

17 그는 음치야.

대화

A : 오늘 얼굴이 창백해 보여. 괜찮아?

B : 그가 노래하는 소리 들리니? 두 시간 넘게 노래하고 있어.

A : 정말? 어머… 음치 맞지?

B : 그러게 말이야. 항상 음이탈이야. 듣기 힘들다.

A : 그에게 노래 수업을 제안하는 게 좋겠어.

B : 그거 좋은 생각일지도 몰라.

A : 열심히 하려고 하는 게 귀엽긴 해.

01 You look pale.이라고 말한 걸로 보아 B의 안색은 창백하다.

02 He's tone-deaf.라고 한 것으로 보아 음치이다.

03 He sings off key all the time. 늘 음정이 맞지 않는다는 말이다. He's tone-deaf. 그는 음치야.라는 말과 대체가능하다.

정답 p33 01 ③ 02 ① 03 ①

p34 01 pale 02 off key 03 suggest | lessons

18 콩깍지가 씌었네.

대화

A : 그와 얼마나 만났어?

B : 10년이 넘은 것 같아.

A : 와, 그와 싸우지도 않지?

B : 가끔 싸우지만, 그래도 거의 안 싸워.

A : 그에 대해 가장 좋아하는 게 뭐야?

B : 그는 세상에서 가장 웃긴 사람이야.

A : 완전 사랑에 빠졌구나. 둘이 영원히 함께 하길 바라!

01 B와 연인 사이에 10년이 넘도록 잘 다투지도 않고 지내는 것에 대해 이야기하고 있으므로 "연애"가 주제이다.

02 Sometimes we argue, but we rarely do.라고 했으니 드물게 싸우기는 한다는 말이다.

03 ① 거기서 얼마나 오래 있었나요?

정답 p37 01 ① 02 ② 03 ①

p38 01 argue with 02 funniest | world 03 stay together

19 아오, 혈압 올라.

대화

A : 왜 항상 물건을 집안에 다 늘어놓는 거야?

B : 당신도 여기저기 물건을 두잖아! 나만 그런 게 아니야.

A : 그거 알아? 당신 물건에 또 걸려 넘어질 뻔했어.

B : 미안해, 그런데 나만 그런 게 아니라고. 아, 진짜 열받아.

A : 그게 요점이 아니야. 우린 타협점을 찾아야 해.

B : 하지만 문제는 당신이 말을 안 듣는다는 거!

A : 바깥 공기 좀 쐬고 올게. 잠시 쉬자.

01 집안에서 물건들을 여기저기 놓는 것 때문에 서로를 탓하며 다투고 있다.

02 I almost tripped over your stuff again." B의 물건에 걸려 넘어질 뻔했다는 A의 말이다. 그런데, B가 이어서 자기만 그런게 아니라고 했으므로 B 역시 A의 물건에 걸려 넘어질 뻔했다는 것을 알 수 있다.

03 중간 지점[타협점]을 찾아야 한다는 말에 해당하는 보기는 ②이다.

정답 p41 01 ③ 02 ② 03 ②
p42 01 lying around 02 tripped over | stuff 03 middle ground

20 신발 끈 풀렸어요.

대화

A : 어디 가?

B : 수업 시작 전에 커피 좀 사러 가는 중이야.

A : 카페인은 집중력에 도움이 되지. 나도 같이 갈게.

B : 좋아. 저기 커피숍 보이니?

A : 알아. 그곳 정말 인기 많아.

B : 맞아. 나는 카페 라떼, 너는?

A : 아이스 아메리카노. 어, 너 신발 끈 풀렸어.

01 To grab some coffee.라고 했으므로 카페나 커피숍에 가는 것을 알 수 있다.

02 B는 I'm just rushing to grab some coffee before my class starts.라고 했으니 수업 전에 급히 커피숍에 가는 중이다.

03 Your shoes are untied. 신발 끈이 풀린 것을 알려주고 있다. 그럼 신발 끈을 다시 묶을 것이란 것을 예측할 수 있다.

정답 p45 01 ② 02 ① 03 ①
p46 01 rushing to 02 Caffeine | concentrate 03 coming with

MEMO

333 영어 LEVEL3_2

초판 1쇄 인쇄 2024년 11월 25일
초판 1쇄 발행 2024년 12월 9일

지은이	조정현
발행인	임충배
홍보/마케팅	양경자
편집	김인숙, 왕혜영
디자인	이경자, 김혜원
펴낸곳	도서출판 삼육오(PUB.365)
제작	(주)피앤엠123

출판신고 2014년 4월 3일
등록번호 제406-2014-000035호

경기도 파주시 산남로 183-25
TEL 031-946-3196 / FAX 050-4244-9979
홈페이지 www.pub365.co.kr

ISBN 979-11-92431-82-6(14740)